MYSTÈRES
DANS LES HIGHLANDS

Premiers frissons en Écosse

THE UNITED KINGDOM

SCOTLAND

Drumnadrochit

Inverness

Glamis

Fort William

Edinburgh

Abbotsford

Glasgow

NORTHERN IRELAND

ENGLAND

Nottingham

WALES

London

Folkestone

ISBN : 978-2-368360-65-1

Édité par ABC MELODY Éditions

www.abcmelody.com

© ABC MELODY, 2015

Imprimé à Malte

Dépôt légal : août 2015

Loi n° 49-956 du 16 juillet 1949 sur les publications destinées à la jeunesse.

Directeur de collection : Stéphane Husar

Coordination éditoriale : Delphine Wojciek

Conception graphique et mise en pages : Alice Nussbaum

MYSTÈRES
DANS LES HIGHLANDS

Premiers frissons en Écosse

Texte d'Alain Surget
Illustrations de Louis Alloing

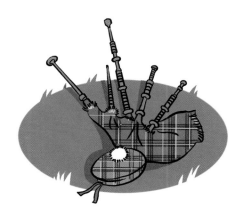

Chapitre 1

Le voyage de fin d'année

Une classe de CM1, dans une école.

Tous les élèves regardent la longue règle brandie devant eux, comme si c'était elle qui allait parler. La règle décrit une courbe dans l'air puis elle vient frapper un endroit sur la carte projetée sur l'écran.

– Et c'est... ? interroge le maître.

– La tête d'une sorcière ! claironne un petit blond.

La classe éclate de rire.

– Hugo n'a pas tout à fait tort, sourit l'enseignant. C'est vrai que la Grande-Bretagne a la forme d'une sorcière assise sur un cochon. Mais cette région au nord, c'est... ?

– L'Irlande !

– L'Australie !

– Dunkerque !

Les réponses fusent, aussi farfelues les unes que les autres, provoquant à chaque fois un haussement d'épaules de la part du maître, Alex Moury. La règle virevolte à droite, à gauche, désignant un garçon ou une fille qui baissent la tête pour éviter la question. Une fillette garde la main levée. Comme elle fatigue, elle soutient son bras avec son autre main, le coude posé sur sa table.

La règle s'arrête enfin sur elle.

– La Nouvelle-Angleterre! annonce-t-elle fièrement, sûre de son fait.

– Vous me désolez, tous, soupire le maître, soudain très las.

– M'sieur! M'sieur! M'sieur! C'est le pays du monstre! lance un garçon au visage rond et rieur. Mon père est déjà allé là-bas.

– Bien, Romain, mais de quel monstre s'agit-il ?

L'enfant fait semblant de réfléchir, puis il capitule.

– Ah, je ne m'en souviens plus.

Du regard, le maître cueille l'expression amusée d'une élève aux cheveux noirs noués en chignon.

– Tu le sais, toi, Amytis. Pourquoi ne lèves-tu jamais ton doigt ?

– C'est Nessie, déclare-t-elle. Et la région, c'est l'Écosse.

– Ouais, j'allais le dire! s'exclament plusieurs élèves en se frappant le front.

– Elle sait toujours tout, l'Iranienne, grommelle un garçon au fond de la salle.

– Je suis Française, sac à foin ! lui renvoie-t-elle aussitôt.

Monsieur Moury fronce les sourcils et gronde :

– Jasper ! Amytis !

Les deux élèves se taisent et se renfrognent. L'enseignant tapote sur son bureau avec la règle pour rappeler l'attention sur lui.

– L'Écosse ! répète-t-il. Je vous avais parlé d'un voyage que nous ferions en fin d'année. Eh bien, c'est en Écosse que nous irons !

Un instant de silence, de surprise totale.

Puis...

– Hein ? C'est loin ! Faut traverser la mer ! Quelle langue ils parlent là-bas ? crépite la classe.

Le maître ramène le calme.

– Puisque nous partirons pendant une douzaine de jours, nous aurons le temps de traverser l'Angleterre, avec une halte à Nottingham. Ce nom vous fait penser à... ?

– Robin des Bois ! s'écrie une brunette prénommée Cerise.

L'homme approuve d'un hochement de tête.

– Le lendemain, nous ferons route vers Édimbourg, continue-t-il en désignant le lieu sur la carte. Une fois là-bas, nous serons arrivés en Écosse. Nous visiterons le château de Glamis, et nous nous rendrons ensuite à Inverness, tout au nord du Loch Ness, le lac de notre fameux monstre.

– On pourra prendre Nessie en photo ?

– Bien sûr, Thomas. Tu l'exposeras avec les photographies que tu auras prises des fantômes de Glamis, se moque gentiment le maître.

– Des fantômes ! Un monstre ! Vous voulez vous débarrasser de nous, monsieur, fait observer une petite rouquine.

L'enseignant ignore la remarque.

– Nous longerons le lac sur toute sa rive ouest, après quoi nous reprendrons la route du sud vers Glasgow pour retraverser l'Angleterre en sens inverse. Nous nous arrêterons deux jours à Londres pour visiter quelques monuments, puis nous reviendrons en France.

– On va être souvent en car, relève Amytis. J'espère que personne ne sera malade.

– Si les fantômes et le monstre se cachent, qu'est-ce qu'on verra ? demande Jasper.

– Vous découvrirez des choses étonnantes, affirme le maître. Vous retirerez de ce voyage des souvenirs qui ne s'effaceront jamais. Quant à ceux qui s'inquiètent déjà du mal de mer, d'une tempête suivie d'un naufrage ou d'une éventuelle attaque de pirates...

Les enfants sourient.

– ... qu'ils se rassurent ! Nous emprunterons le tunnel qui passe sous la Manche. Vous n'aurez même pas à descendre du car.

– C'est dangereux ? On verra des requins ? demande Hugo.

Romain lève le doigt.

– M'sieur ! M'sieur ! Le tunnel passe sous la terre. Sous le fond ! précise-t-il à l'adresse de son camarade. L'eau ne peut pas nous couler sur la tête.

– C'est exact, confirme le maître. Je vous montrerai une coupe du tunnel demain. À présent, je vais vous distribuer des feuilles à remettre à vos parents, et à me rapporter au plus tard lundi. Sans faute ! appuie-t-il en regardant les étourdis de la classe. Sinon, pas de voyage !

Pendant qu'il distribue ses feuilles, des commentaires glissent d'une table à l'autre. Le maître laisse les élèves s'échanger des bribes d'histoires, vraies ou fausses, qu'ils ont pu entendre sur l'Écosse ou qu'ils se plaisent à imaginer.

Quand retentit la sonnerie marquant la fin de la journée, les écoliers rangent leurs affaires dans les sacs. Le maître tente de les faire sortir en rang, mais les enfants sont excités comme des puces. Une fois dans la cour, certains reviennent tourbillonner autour de lui.

– C'est vrai qu'ils ne boivent que du whisky, les Écossais ?

– C'est vrai que les hommes portent tous des jupes à carreaux appelées kilts ?

– C'est vrai qu'ils mangent des brebis à la panse farcie ?

– De la panse de brebis farcie, corrige Amytis qui a entendu et se retourne vers eux. Mais ça, c'est pour effrayer les touristes.

Alex Moury dirige les retardataires vers les parents qui attendent de l'autre côté de la grille, puis son regard s'attarde sur Hugo, Romain et Amytis. Toujours ensemble, ces trois-là! Des copains liés comme les doigts de la main.

Chapitre 2

Le grand départ

Des jours ont passé. Les feuilles sont toutes revenues à l'école, remplies et signées, chaque famille ayant à cœur de permettre à son enfant de participer à ce grand voyage.

Des heures durant, le maître a parlé de l'Écosse à sa classe. Oh, il n'a pas tout révélé à ses élèves, car il veut leur laisser la surprise de découvrir par eux-mêmes certains aspects de la vie écossaise. Mais, dans l'ensemble, l'Écosse n'est plus une région méconnue pour ces enfants qui, en grande majorité, n'ont jamais quitté l'univers de leur quartier.

Les jours passent. L'effervescence grandit dans la classe à mesure que s'approche la date du départ.

– Je ne dors plus de la nuit, confie Hugo à ses deux amis. Je pense au tunnel... Jamais je n'ai mis le pied sous la mer.

– Nous non plus ! rit Romain.

– Je pense aux châteaux hantés, au monstre qui peut sortir du lac pour nous courir après...

Il se tait quand il se rend compte que Romain et Amytis s'amusent de ses paroles.

– Bon, ronchonne le garçon, il n'y a pas que ça. Ma mère n'arrête pas de ranger mes vêtements dans la valise, puis de les ressortir pour vérifier si elle n'a pas oublié quelque chose. Je n'ai plus le droit de mettre les affaires que je dois emporter, ce qui fait que j'ai la même chemise sur le dos depuis trois jours.

– Ne t'inquiète pas, dit Romain, chez moi c'est pareil.

– On t'aime quand même, conclut Amytis en décochant à Hugo son plus beau sourire. De toute façon, nous partons dans deux jours. Évite de te salir d'ici là.

– Encore deux jours d'attente, répète Hugo. Je ne tiens déjà plus en place. J'ai même... j'ai... un peu peur, ajoute-t-il après une brève hésitation.

– Nous sommes là, le tranquillise Amytis en lui serrant le bras.

– Essaie de trouver le sommeil avant le départ, lui conseille Romain, sinon tu vas dormir durant tout le voyage, et ce serait dommage.

* * *

Ce même jour, au milieu de la nuit, alors que la ville dort, deux ombres font le guet dans une rue, chacune à une extrémité. Une voiture passe en balayant la voie de ses feux, puis la rue redevient déserte, tout juste éclairée par les pâles lueurs jaunâtres de ses lampadaires. L'une des ombres envoie un signal lumineux avec sa torche électrique. L'autre lui répond de manière identique, puis elle braque sa lampe vers une rue perpendiculaire et émet le même signal.

Aussitôt un moteur rugit, un gros véhicule quitte son emplacement et dévale la rue à pleine vitesse. Le bolide arrive à l'intersection, bondit sur le trottoir et défonce la grille et la porte d'une bijouterie située au croisement des deux rues. Le fracas est assourdissant, tout de suite appuyé par l'appel déchirant de l'alarme.

Vite, les cambrioleurs s'introduisent dans le magasin et raflent les colliers et les parures de diamants exposés en vitrine. Puis ils ressortent, sautent dans une voiture qui les attend à quelques pas de là, et ils s'enfuient en faisant crisser les pneus tandis qu'une sirène de la police retentit au loin, pareille à une sorte d'aboiement aigu.

– On a réussi ! se félicite un des voleurs, assis à l'arrière.

– Ouais, on a devancé la bande de Waldo, se réjouit le conducteur.

– Il faut dessertir les diamants des bracelets et des colliers, reprend le premier. Et leur faire quitter la France au plus vite.

– J'ai mon idée là-dessus, déclare l'homme à côté du chauffeur. Je vous l'expliquerai dès que nous serons à l'abri.

Le quatrième passager reste silencieux. Assis sur la banquette arrière avec un de ses complices, il se contente de surveiller leurs arrières au cas où ils seraient pris en chasse. Mais le hurlement de la sirène se dirige vers la bijouterie, dans la direction opposée à celle de leur fuite.

* * *

Ça y est, c'est le grand jour ! Les enfants et leurs parents sont dans la cour de l'école, et tous attendent avec impatience l'arrivée du car. Les élèves ne tiennent plus en place, évacuant les questions des mères par des :

— Mais oui, j'ai bien avalé mes cachets pour le mal des transports !

— Mais non, je n'ai pas oublié mon stylo pour vous écrire !

— Ça fait dix fois que tu me poses la même question, maman ! Bien sûr que j'ai emporté mon étui à lunettes !

Le père de Thomas rappelle à son fils, qui n'en a pas besoin, comment prendre des photos, et il lui recommande de photographier tout ce qu'il verra :

— Ce sera certainement la seule occasion où tu pourras aller aussi loin. Alors, ne manque rien !

Au milieu d'un groupe de camarades, Jasper montre les fenêtres donnant sur d'autres salles que la leur.

– Et ceux-là qui vont travailler pendant qu'on va être en vacances ! glousse-t-il en faisant allusion aux élèves des autres classes.

– En voyage scolaire, rectifie Cerise. Le maître a prévenu qu'il y aura un compte rendu à rédiger au retour.

Le car arrive enfin. Les bagages sont empilés dans la soute, les écoliers montent s'installer au fur et à mesure de l'appel, puis les frimousses se collent aux vitres. Farid et Mélanie, deux accompagnateurs, grimpent à leur tour dans le véhicule et vérifient que chacun boucle sa ceinture de sécurité. Les mains s'agitent, les dernières recommandations s'envolent, totalement ignorées par les enfants qui pensent déjà à ouvrir leurs paquets de bonbons.

Et c'est le départ ! Le car s'ébranle lentement, remonte la rue puis disparaît à une bifurcation. Rassemblés un instant sur le trottoir, devant la grille de l'école, les parents s'échangent quelques mots avant de se disperser.

Plantée à un coin de rue, les mains enfoncées dans ses poches, une silhouette marmonne entre ses dents :

– Les voilà partis ! Espérons que tout se déroulera comme prévu !

Le trajet est monotone sur l'autoroute, entre-coupé d'arrêts pour permettre aux malades d'aller respirer un peu d'air frais avant de rega-gner leurs sièges, à l'avant. Certains élèves dorment, d'autres écoutent de la musique, les écouteurs vissés dans les oreilles, d'autres encore discutent ou rient des blagues qu'ils se racontent.

Un peu avant midi, le car atteint Calais. Là, les écoliers profitent de l'attente sur l'aire d'embar-quement pour manger leurs sandwiches et leurs chips, et pour se dégourdir les jambes sous la surveillance des accompagnateurs. Le chauffeur remplit son thermos de café pour la deuxième fois depuis le matin, et il en propose à Alex Moury qui s'empresse d'accepter. Quand arrive le moment de rejoindre le train, le maître bat le rappel de sa classe. Le car suit l'impression-nante file qui avance pare-chocs contre pare-chocs. Le passage aux douanes n'est qu'une formalité, mais un silence brutal plombe le car lorsque les enfants aperçoivent des hommes et des femmes en uniforme, la mitraillette en bandoulière, qui font signe à certains véhicules de se ranger sur le côté afin de procéder à une inspection.

– Tu crois qu'ils recherchent les voleurs de bijoux ? chuchote Hugo à Romain. J'ai entendu aux infos que les diamants ont une valeur de plus d'un million d'euros.

Les agents tournent autour du car, puis ils font signe au chauffeur qu'il peut continuer.

– Hé hé ! En fait, je promène les diamants dans mes chaussettes ! se vante Jasper, ne recueillant que des haussements d'épaules.

Bientôt, le car se range dans le long couloir du train. Des rideaux métalliques descendent peu après, séparant les compartiments.

– Ce n'est pas la peine de prendre des photos, Thomas, dit le maître, il n'y a rien à voir.

Quelques minutes plus tard, le convoi se met en mouvement, et les parois sombres du tunnel remplacent le paysage.

– On est sous l'eau? demande un petit garçon, la voix chargée d'angoisse.

– On ne risque pas d'étouffer? s'inquiète la petite rouquine.

– J'avais peur d'être dans le noir, souffle Thomas, visiblement soulagé de constater que toutes les lumières restent allumées.

La traversée de la Manche est rapide, ne dépassant pas trente minutes.

– Les enfants, nous sommes arrivés à Folkestone, en Angleterre, avertit le maître comme des champs et des pylônes électriques défilent à nouveau derrière les hublots du train. Vous pouvez retarder vos montres d'une heure.

– On arrive avant d'être partis, remarque Hugo en riant.

Le débarquement se fait en un clin d'œil, et les véhicules se retrouvent très vite dans la ville.

– Hiii! crie soudain une élève assise à l'avant du car. Ce camion nous fonce dessus! On est dans la mauvaise file!

– Mais non, la rassure le chauffeur. On roule à gauche en Angleterre. Tu ne le savais pas?

– Euh… si, se calme la fillette. Mais ça surprend quand même et ça impressionne de le voir en vrai.

Alex Moury s'empare alors du micro et annonce :

– À présent, nous allons nous diriger vers Londres. Nous contournerons la ville puis nous roulerons plein nord vers Nottingham que nous atteindrons dans la soirée.

– Ouais, l'Angleterre est à nous ! clame Jasper en levant le bras, deux doigts en V.

Le maître plisse un fin sourire.

– Nous verrons bien quelle tête tu feras quand tu te retrouveras face aux fantômes, murmure-t-il, le micro coupé.

Heureusement, aucun élève ne semble l'avoir entendu.

Chapitre 3

Premières surprises

L'arrivée à Nottingham tire des exclamations de surprise aux enfants. S'ils espéraient entrer dans une cité médiévale avec ses rues étroites et tortueuses et ses maisons en encorbellement, c'est-à-dire dont les étages dépassent sur la rue, ils sont fortement déçus. Nottingham est une ville moderne, à la circulation dense, avec des immeubles dressés vers un ciel rougeoyant, et des usines installées en périphérie. Alex Moury sent la déception de sa classe.

– Les siècles ont passé, le devance Mélanie. Nous ne sommes plus à l'époque de Robin des Bois.

– Et la forêt de Sherwood, elle existe encore ? demande un garçon.

– Oui, répond le maître, même si elle n'est plus aussi étendue qu'au Moyen Âge. Elle est devenue un parc naturel constitué de bouleaux et de chênes. Le Major Oak est la curiosité du lieu. C'est un très gros chêne âgé de 1 000 ans qui aurait servi de cachette à Robin des Bois. Ses branches sont si lourdes qu'elles sont soutenues par des tuteurs, sans quoi elles casseraient.

– Je pourrai le prendre en photo ? lance Thomas qui brandit déjà son appareil.

– Malheureusement, non. Nous n'avons que le temps de nous installer à l'auberge de jeunesse.

Demain, nous visiterons rapidement un château avant de repartir pour l'Écosse.

– M'sieur, ce sera pareil, là-bas ? interroge Romain avec un geste pour désigner le quartier qu'ils traversent.

– Une ville reste une ville, dit Farid. Édimbourg n'est pas une exception.

– Pourtant, une fois dans la région du Loch Ness, ce sera différent, intervient Amytis. J'ai regardé sur Internet. Le paysage est vraiment sauvage.

– Les gens aussi ? veut savoir Hugo.

Le maître pense aux habitants des Highlands, les Hautes Terres au nord de l'Écosse.

– Mmm, fait-il d'un petit air moqueur. Ce sont certainement des gens très accueillants, mais pour vous qui êtes habitués à un certain confort et à une nourriture sans surprise...

Le reste de la phrase est inutile.

Le chauffeur emprunte une longue avenue bordée par des maisons à deux étages et aux façades peintes de couleurs vives, puis se gare devant un bâtiment jaune.

– Notre auberge de jeunesse, annonce l'enseignant.

– Hé, il n'y a pas de volets aux fenêtres ! observe Hugo. On ne va jamais pouvoir dormir.

– Les fenêtres sont à guillotine, lui apprend Amytis. Elles ne s'ouvrent pas comme les nôtres, mais se soulèvent. On ne pourrait pas tirer les persiennes s'il y en avait. C'est comme ça dans toute l'Angleterre.

– Il y a des rideaux à l'intérieur, suppose Cerise.

– Alors ça va, soupire Hugo. C'est que j'ai du sommeil à rattraper, moi, et je n'arrive à dormir que dans le noir.

Romain lui décoche un coup de coude pour l'inciter à se lever. Les élèves descendent du car en emportant leurs sacs à dos. Ils récupèrent ensuite leurs valises et pénètrent dans l'auberge. Un quart d'heure plus tard, ils sont tous répartis dans des chambres à six lits superposés, et commencent déjà à se chamailler afin de savoir qui dormira en haut ou en bas.

– Ne défaites pas vos valises, leur répètent Farid et Mélanie en passant d'un groupe à l'autre. Ne sortez que vos affaires de toilette et vos pyjamas.

Une demi-heure après, les enfants sont tous rassemblés dans la grande salle à manger pour le repas du soir. Beaucoup boudent la soupe du jour, mais ils se régalent d'un burger au poulet servi avec de grosses frites. Un biscuit au chocolat, une glace à la vanille et des marshmallows à la guimauve clôturent le dîner.

– C'est génial, l'Angleterre! glapit Jasper. Les marshmallows, j'adore ça! J'espère qu'il y en aura à chaque repas.

– Ouais, mais ils pourraient quand même servir du pain à table, le tempère une fillette.

– Ce n'est pas le même qu'en France, explique Farid. C'est du pain de mie épais, compact.

– Une tranche suffit à te caler l'estomac, complète Mélanie.

– C'est vrai, m'sieur? demande Romain au maître. Ma mère m'a dit aussi que les petits pois anglais sont trois fois plus gros que les nôtres, et qu'il faut les attraper dans l'assiette avec le dos de la fourchette.

– C'est impossible, ricane Jasper. On les flanquerait par terre.

– Ah, les enfants! fait monsieur Moury. Vous n'êtes qu'au début de vos découvertes. Je suis

bien content de pouvoir vous frotter à une culture différente. Oh, que t'arrive-t-il, Mélissa ? Tu en fais une tête.

– Je voulais recharger mon portable dans la chambre, se plaint la petite rouquine, mais les prises sont bizarres. Ma fiche n'entre pas dans les trous.

– C'est normal, les prises sont différentes en Grande-Bretagne. Je te prêterai mon adaptateur, lui promet le maître. J'ai dû oublier de vous signaler ce petit détail durant mes cours.

– Quoi ? Un petit détail ? se révolte la classe. Mais comment on va recharger nos portables, nos appareils photos, nos tablettes, nos consoles… ?

– Vous n'allez plus pouvoir vous raser, monsieur, si vous prêtez votre adaptateur à tout le monde, plaisante Mélissa.

Alex Moury lève les bras au ciel tandis que les deux accompagnateurs éclatent de rire.

– Dans vos chambres ! ordonne-t-il. Je vous laisse lire une heure, après quoi extinction des feux ! Nous nous levons tôt demain matin.

Chapitre 4

La ville de Robin des Bois

Le lendemain, ce sont des enfants encore à moitié endormis qui se traînent vers la salle à manger. Lorsqu'ils y pénètrent, la surprise leur écarquille les yeux. Ils découvrent de longues tables présentant des lamelles de fromage, de la salade de fruits, des tranches de pamplemousse, du bacon et des saucisses grillés, des cornflakes et autres céréales, des *beans on toast* - des haricots blancs nappés de sauce tomate sur du pain de mie grillé -, des œufs brouillés ou au plat qui grésillent sur des plaques chauffantes, du thé, du lait et du jus d'orange.

- Il y a un banquet ou quoi ? s'extasie une fillette.

- Je ne vois pas de marshmallows, lâche Jasper, déçu.

- Ils ont mélangé le dessert avec le petit déjeuner, pense Hugo.

Le maître s'amuse de les voir hésiter devant tant de nourriture, ne sachant que choisir.

- Vous n'êtes pas obligés de toucher à tout, leur dit-il comme le personnel leur propose des plats chauds.

- Je ne pensais pas qu'il y aurait une telle variété d'aliments dans une auberge de jeunesse, fait remarquer Mélanie.

– Ce n'est pas courant, en effet, mais nos hôtes ont tenu à faire goûter à nos petits Français un vrai *breakfast* anglais.

Pourtant, face à ce *breakfast* anglais, les écoliers jouent la prudence. Nombreux sont ceux qui se rabattent sur le jus d'orange et sur les carrés de pain de mie.

– *Would you like some tea? How about some toast and marmalade?* interroge un serveur debout derrière une table en présentant une théière fumante.

– De la marmelade ? répète Mélissa qui n'a retenu que le dernier mot et qui prend une mine dégoûtée.

– Il demande si tu veux du thé et un toast à la confiture d'oranges amères, traduit une gamine au visage piqueté de taches de rousseur, et qui s'est montrée particulièrement effacée jusqu'alors.

– Ah, c'est vrai que l'anglais est ta deuxième langue, Alison, puisque ta mère est de

Southampton, se rappelle Mélissa. Euh... *No, no!* répond-elle au serveur en secouant la main.

Elle regarde son amie qui déguste ses *beans on toast*, choisit plutôt du fromage blanc et une salade de fruits, et va s'asseoir à côté d'Amytis.

– En Écosse, on nous servira aussi du boudin noir, dit celle-ci. Et du *haggis* aux repas. C'est cette fameuse panse de brebis farcie !

– Comment tu sais ça, toi ? grommelle Jasper. T'es déjà allée en Écosse ? T'as déjà mangé de ce... hachis ?

– *Haggis*, le reprend-elle. Non, je ne suis jamais allée en Écosse, mais on peut apprendre pas mal de choses sur Internet.

– Sauf le goût et l'odeur, lui rétorque Farid. C'est comme le couscous, tu as beau le voir en images, tant que tu ne l'as pas savouré, tu ne sais pas ce que c'est.

– C'est vrai, convient Amytis. Eh bien, je goûterai au *haggis* à la première occasion.

– Pari tenu ! aboie Jasper en levant la main.

Amytis claque sa main dans la sienne.

– Pari engagé ! lui renvoie-t-elle. Mais je ne suis pas sûre d'aimer la panse de brebis farcie, achève-t-elle d'une toute petite voix.

Alex Moury et les deux accompagnateurs terminent de déjeuner.

– Certains n'ont presque rien mangé, relève Mélanie. Ils vont partir le ventre vide. D'autres se sont goinfrés de pain de mie et de miel.

– Les jeunes se méfient de ce qu'ils ne connaissent pas, explique le maître. Je garde l'espoir qu'au fil des jours, ils mangeront de tout. La cuisine est un bon moyen pour commencer à apprécier un autre pays.

– Mais les habitudes sont tenaces, reconnaît Farid. Espérons qu'une partie de la classe ne va pas mourir de faim pendant que l'autre va exploser.

Un éclair leur fait brusquement dresser la tête : Thomas vient de photographier les longues tables chargées d'aliments.

Moins d'une demi-heure plus tard, les élèves remontent dans le car, chacun muni d'un casse-croûte pour midi, fourni par l'auberge de jeunesse : des sandwiches au jambon et au fromage, ou au thon et à la mayonnaise, agrémentés d'une feuille de salade.

– Heureusement que j'ai emporté mon propre café, se félicite le chauffeur en rangeant son thermos dans une niche, près de son siège. Celui qu'ils servent ici, c'est du pipi de chat. Et le thé, ce n'est vraiment pas pour moi.

– On devrait vous surnommer Caféman ! lance Romain.

L'homme esquisse un sourire, amusé.

– Va pour Caféman ! accepte-t-il. C'est toujours mieux que Teapot.

Farid chuchote à l'oreille d'Alex Moury :

– Côté chauffeur, la séduction par la cuisine anglaise n'est pas gagnée.

Le maître confirme par un hochement de tête.

Le château de Nottingham s'élève sur le sommet d'une colline. Le maître regroupe la classe devant une porte fortifiée avant de pénétrer à l'intérieur.

- Il ne ressemble pas à un château fort, remarque Romain.

- Le château a été entièrement reconstruit vers 1670 à l'emplacement de l'ancienne

forteresse royale, leur apprend monsieur Moury. Pendant que le roi Richard Cœur de Lion était en croisade, cinq siècles plus tôt, l'ancien château servait de résidence au shérif de Nottingham.

- L'ennemi de Robin des Bois, précise Cerise.

- D'après la légende, c'est dans ce château qu'a eu lieu le dernier combat entre Robin des Bois et le shérif, poursuit le maître. D'ailleurs, vous verrez près de la porte des statues en bronze de Robin et de ses compagnons.

– Génial! s'écrie Thomas. Je vais pouvoir les prendre en photo.

Le groupe entre dans la cour et va visiter le musée abrité dans le château. Les élèves ne s'attardent guère devant les céramiques, les costumes, les dentelles, les sculptures et les tableaux. Les véhicules des XVIIe et XVIIIe siècles les intéressent davantage, puis ils se retrouvent à nouveau dans la cour. Là, un guide leur montre un passage secret qui aurait permis au jeune roi Édouard III de s'infiltrer dans le château, en 1330, afin de faire arrêter sa mère Isabelle et son favori Roger Mortimer qui régnaient à sa place.

– Je vous accorde un temps libre pour vous promener dans les jardins, propose ensuite le maître. Rendez-vous dans vingt minutes devant la statue de Robin des Bois.

Les enfants se dispersent dans les allées ou vont s'appuyer aux remparts pour admirer la ville en contrebas.

– Tiens, c'est Caféman, note Hugo en apercevant le chauffeur sur un banc.

– Il a emporté son thermos, constate Romain.

– Oui, il y est aussi attaché que Thomas à son appareil photo, rit Amytis.

Thomas passe à ce moment, prend les trois amis en photo au pied d'un arbre gigantesque, puis c'est l'heure du retour.

Une fois tout le monde remonté dans le car, le chauffeur fait un tour rapide de la ville, et ralentit en passant devant une pittoresque auberge du XIIe siècle, du temps de Robin des Bois.

– C'est la *Ye Olde Trip To Jerusalem Inn*, annonce Alex Moury. Elle était fréquentée par les croisés qui descendaient du nord de l'Angleterre pour aller embarquer en direction de la Terre Sainte. À côté, vous pouvez voir une autre auberge appelée *Salutation Inn*. Elle date d'un siècle plus tard. On raconte qu'elle a été long-temps hantée par le brigand Dick Turpin, exé-cuté en 1739 pour avoir commis des vols de chevaux.

– Y a pas de fantômes qu'en Écosse, alors ? relève une voix.

– Comment vous savez tout ça, monsieur ? s'étonne Mélissa.

– Qu'est-ce que tu crois, il trouve ça dans un livre, grogne Jasper. Le soir, il prépare les tour-nées du lendemain.

Le car passe ensuite devant St Mary's Church, une église vieille de cinq siècles, puis il traverse le centre-ville où se dresse le monumental *Council House*, l'hôtel de ville.

– Ouah, on dirait la Maison-Blanche, à New York !

– À Washington ! rectifie Amytis avec un gros soupir.

– À l'intérieur, la coupole est ornée de fresques retraçant les exploits de Robin des Bois dans la forêt de Sherwood, indique Mélanie, un livre ouvert sur les genoux.

– Ah, le maître a dû prêter son guide, caquette Jasper en s'enfonçant dans son siège pour disparaître à la vue des adultes.

Cachés derrière les hauts dossiers, ses compères se mettent aussitôt à ricaner bêtement.

Peu après, les enfants retrouvent l'autoroute qui doit les mener plein nord vers l'Écosse.

* * *

Ce même jour, en France, le chef de bande Waldo, qui a placé un traître dans l'équipe des voleurs de bijoux, s'entretient au téléphone avec un de ses complices.

– Les diamants arrivent, avertit-il. Il n'est pas question de les laisser aux autres. Ils m'ont doublé, mais je veux remettre la main sur le butin.

– Ce ne sera pas facile, le colis bouge tout le temps, se plaint la voix au bout du fil.

– Il faut infiltrer l'adversaire, et pour cela éliminer un de ses pions. Que vous remplacerez par un des nôtres, bien évidemment.

– Si la police s'en mêle...

– Arrangez-vous pour qu'elle croie à un accident !

Un silence au bout du fil, puis...

– Ce sera fait comme vous le souhaitez, monsieur Waldo. Je m'en occupe personnellement.

Chapitre 5

Cap sur Édimbourg

Au cours de l'après-midi, alors que la majorité des enfants dort recroquevillée sur les sièges, le car quitte l'autoroute à hauteur de Newcastle pour s'engager sur une route A, l'équivalent d'une nationale française.

– On arrive ? bâille une voix pâteuse.

– Pas encore, répond le maître. Nous empruntons une route qui longe la côte car il n'y a plus d'autoroute jusqu'à Édimbourg.

– Sauf à passer par Glasgow, observe Farid qui étudie une carte.

– Ce sera notre chemin au retour, dit monsieur Moury.

Plus tard, à mi-chemin entre Newcastle et Édimbourg, la voix du maître crépite dans le micro.

– Ça y est, les enfants, nous entrons en Écosse !

Les visages se pressent contre les vitres, mais le paysage n'a pas changé pour autant.

– Range ton appareil, grogne Jasper à Thomas, y a rien de plus à voir que tout à l'heure.

– Si, les fantômes ! lui renvoie Cerise, exaspérée par l'attitude du garçon. Ils vont peut-être te tirer par les pieds cette nuit.

– Beuh ! fait Jasper avec une moue.

– Tu vas être content, Jasper, reprend le maître. Un guide nous attend à Édimbourg. Un vrai. Pas un malheureux livre que je consulte le soir pour préparer vos visites du lendemain.

Jasper lâche à nouveau un « Beuh ! », puis il croise les bras et se met à mâchonner les mots qu'il n'ose pas prononcer.

– Il sera en kilt ?

– Il aura un béret rouge ou bleu sur la tête ?

– Il jouera de la cornemuse ?

Les questions fusent de toutes parts.

– Le béret s'appelle un *tam o' shanter*, souligne Mélanie qui vient de le découvrir au bas d'une page.

Plusieurs élèves essaient de répéter, mais cela finit en cafouillis, ce qui amuse beaucoup Alison.

– Vous en verrez dans les vitrines des magasins, et tu pourras les photographier, Thomas, se moque gentiment le maître.

– Et le guide ? Je pourrai le photographier, lui ? lance le garçon, toujours à l'affût de la moindre image à rapporter à sa famille.

Lorsqu'ils arrivent enfin à Édimbourg, la capitale de l'Écosse, la nuit est tombée. Pourtant, dressé sur un promontoire rocheux, véritable masse sombre dominant les lumières de la ville, le château d'Édimbourg semble recouvert d'or tant il brille.

– Nous resterons deux jours dans cette ville, prévient Alex Moury. Mais nous en profiterons aussi pour aller visiter le superbe manoir qui a

appartenu à Walter Scott. Je vous ai parlé de lui en cours.

– C'est un écrivain ! rappelle Romain.

– Bien. Donnez-moi un titre de son œuvre.

Un grand silence. Quelqu'un hasarde :

– *Les Voyages de Gulliver...*

– *L'Île au trésor...*

– Son titre le plus connu porte le nom d'un de ses personnages, les aide Farid.

- Sherlock Holmes ! crie Jasper.

- J'ai vraiment besoin de prendre des vacances, moi, exhale le maître comme Farid et Mélanie pouffent de rire.

Amytis glisse la réponse à Cerise.

- Ivanhoé ! lance la petite brunette.

- Bravo, ma puce ! Tu me sauves la face.

- Hé, elle lui a soufflé, l'autre ! grince Jasper.

- Thomas, pose ton appareil, conseille Farid. Tu ne réussiras qu'à prendre ton propre reflet dans la vitre.

- Ce n'est pas grave, rigole Mélissa. Il pourra toujours prétendre que c'est un fantôme.

- Au fait, on va les voir quand, les fantômes ?

- Ils sont là, assure l'enseignant. Tout autour de vous. Ils vous épient. À votre place, je ne ferais pas le malin, sinon, demain matin, je risque de retrouver certains d'entre vous à l'état de marsh-mallows. N'est-ce pas, Jasper ?

- Bôôô, laisse traîner le garçon.

À l'auberge de jeunesse, une mauvaise surprise les attend. Non seulement le guide ne porte ni kilt ni *tam o' shanter*, mais ce n'est pas celui qui avait été prévu.

– Comment est-ce possible ? s'affole le chauffeur. Ma compagnie a l'habitude de travailler avec la même agence depuis des années. Nous avons un guide attitré et...

– Il a eu un accident, lui apprend l'Écossais avec un fort accent. Le directeur de l'agence m'a contacté en catastrophe, me suppliant d'être votre guide pour toute la durée du voyage, du moins jusqu'à Glasgow. Mon nom est Coinneach Tomnahurich.

– Hein ? Quoi ? Coin-comment ? Tomrich ? Conesh ? Coinahurich ? ânonne la classe.

– Je crois que nous allons vous appeler John, si vous le permettez, suggère le maître. Vous ne trouvez pas que ce guide fait très couleur locale ? dit-il à Caféman. L'important, c'est qu'il nous fasse partager ses connaissances sur l'Écosse.

– Qu'est-ce qu'il lui est arrivé, à William, notre guide habituel ? insiste le chauffeur qui a l'air très embarrassé.

Coinneach Tomnahurich regarde les enfants, fait les gros yeux et gonfle ses joues.

– Il a été victime d'un fantôme ! gronde-t-il, terrible dans sa barbe noire.

Chapitre 6

Chez le père d'Ivanhoé

Le lendemain, au cours du petit déjeuner, le chauffeur rejoint le maître et les deux accompagnateurs à leur table. Avant de commencer à parler, il jette un coup d'œil sur le guide, debout devant les présentoirs de nourriture, expliquant aux élèves ce qu'est le porridge.

– C'est une spécialité écossaise : une bouillie de flocons d'avoine...

– Hein ? C'est pour les chevaux, ça ! l'interrompt Jasper.

Imperturbable, l'homme continue :

– C'est une épaisse bouillie de flocons d'avoine et de lait que l'on sert chaude. Elle a réchauffé des générations d'écoliers et de travailleurs de force. Maintenant, si vous êtes des mauviettes habituées à grignoter un morceau de pain tartiné d'un nuage de confiture, jetez-vous sur les toasts et le *jam*.

– Le quoi ?

– Le *jam*, c'est de la confiture de toutes sortes de fruits, sauf celle d'oranges amères, intervient Alison.

Piqués au vif, Jasper et quelques autres se remplissent un bol de porridge, mais sitôt regagnée leur place, ils se regardent en faisant une drôle de tête, attendant que l'un d'entre eux ait le courage de goûter.

– Alors, les hommes, on a peur de se lancer ? les raille Amytis en passant derrière eux pour aller remplir son bol de porridge pour la deuxième fois.

Pendant que le guide se sert, le chauffeur se penche vers Alex Moury et annonce à voix basse :

– Je viens de téléphoner à ma compagnie. William, notre vrai guide, a effectivement eu un accident hier après-midi. Une voiture lui a foncé dessus...

– Vous voulez dire qu'elle n'a pas pu l'éviter, le reprend l'enseignant.

– Je ne sais pas. Ils m'ont dit « foncé dessus ». C'est louche, cette affaire-là. Toujours est-il que William est à l'hôpital pour un moment.

– C'est triste, mais nous avons John, fait remarquer Farid. Notre voyage ne devrait pas en souffrir.

Caféman se lève au moment où l'Écossais s'installe à leur table.

– Je vais remplir mon thermos de café, dit-il. Celui qu'ils servent ici est un peu meilleur qu'à Nottingham.

Une heure plus tard, les enfants partent en car pour Abbotsford House, le manoir de Sir Walter Scott. Lorsqu'ils y parviennent, des exclamations de surprise s'envolent de toutes les bouches.

– C'est un véritable château !

– Ils vivaient à combien là-dedans ?

– Il a dû payer ça une fortune, Walter Scott !

– Ça vaut le coup d'être écrivain !

– C'était une simple ferme à l'origine, explique John. Sir Walter l'a achetée en 1811, et il a fait réaliser des travaux d'agrandissement de 1818 à 1824.

– Ah, alors il payait par à-coups, comprend Jasper. C'est mieux.

– Ses descendants ont également fait de grands travaux d'aménagement, pour aboutir à ce que vous avez aujourd'hui sous les yeux.

Le chauffeur décide de rester dans le car pendant que le guide emmène la classe vers l'imposant bâtiment.

– Thomas, ne traîne pas derrière nous, le rappelle le maître. Cela ne sert à rien de prendre cinquante fois la même photo.

Au sous-sol, une femme aux cheveux gris les accueille devant un escalier en colimaçon.

- *We are going upstairs for the visit*, annonce-t-elle. *Keep together and don't touch anything!*

- Je peux traduire, monsieur ? demande Alison au guide.

- *Oh yes!* répond-il. Seulement, si tu te trompes, je t'accroche au mur parmi les trophées de chasse, achève-t-il en roulant de gros yeux.

Alison sourit, peu impressionnée, et déclare avec assurance :

- Il faut monter pour la visite. Restez groupés et ne touchez à rien. Compris, Jasper ?

- Hé, comment elle connaît mon nom, la dame ? s'écrie le garçon.

- C'est du rajout, rit le maître en le poussant doucement dans le dos pour qu'il avance.

Ils grimpent l'escalier à vis et pénètrent dans le hall d'entrée.

- Il y a un sens pour la visite, gronde John comme quelques élèves se dirigent vers le cabinet de travail et la bibliothèque.

Guide et vieille dame en tête, le groupe traverse l'impressionnant hall d'entrée, et découvre des pièces de cuirasses accrochées aux murs ainsi que deux armures de tournois entièrement montées.

– Ce sont celles d'Ivanhoé ? questionne une fillette.

Une vitrine contient le dernier costume porté par Walter Scott. Au plafond, des écussons s'étirent le long de la corniche, portant tous le blason des ancêtres de l'écrivain. Le guide s'attarde sur des détails pour un ou deux curieux tandis que la vieille dame conduit la plus grande partie des élèves dans le vestibule donnant sur la salle d'armes. Là, les murs croulent sous les pistolets, carabines, fusils à deux coups et poires à poudre. Les garçons s'extasient devant les haches, les lances et les poignards traditionnels.

– *No photos, please!* clame la dame comme Thomas s'apprête à flasher tout ce qu'il voit.

– Elle ne veut pas que… commence Alison.

– Ça va, j'ai compris, bougonne Thomas en rengainant son appareil.

– Vous pourrez acheter des cartes postales et des… petits livres… Comment dit-on en français ? réfléchit John.

– Des brochures, l'aide le maître.

– *Yes!* Vous trouverez tout cela dans la petite boutique à l'entrée. Alors ce n'est pas la peine de photographier chaque moulure, chaque couteau, chaque guéridon.

– Ouais, mais les photos, c'est gratuit, murmure Jasper entre ses dents.

Dans la salle à manger, le couvert est mis sur la table comme si le repas allait être servi. La vieille dame relate une petite anecdote que John s'empresse de traduire.

– Lorsque les invités trouvaient des éperons dans les assiettes, ils comprenaient qu'il n'y avait plus de viande et qu'ils devaient immédiatement aller chasser.

– Et s'ils ne rapportaient rien ? demande Hugo.

– Ils n'avaient pas intérêt à rentrer bredouilles, sinon ils étaient la risée des femmes et du personnel.

Les élèves jettent un œil rapide sur les tableaux et sur les épées dans les vitrines, puis ils retraversent la salle d'armes pour se rendre dans le salon chinois tapissé d'un papier peint à la main. Un grand tableau représentant Walter Scott et ses chiens trône au-dessus de la cheminée. Au-delà du salon s'ouvre la bibliothèque.

– Ouah, tous les bouquins ! s'exclame la classe en voyant des étagères couvertes de livres sur tous les murs jusqu'au plafond.

– Il a écrit tout ça, Walter Scott ? s'étrangle Jasper. Il n'a pas eu mal à la main ?

– Tsss, quel âne ! siffle Amytis en secouant la tête.

– Il y a des milliers de livres, dit le maître. Tu crois vraiment que quelqu'un peut écrire cela en une seule vie ?

– Ben... oui, fait Jasper en se grattant la tête. En travaillant tous les jours et en se levant tôt.

– Et tu commences au berceau ! lui rétorque Cerise.

Ils passent enfin dans le cabinet de travail de l'écrivain.

– Il y a encore des livres ! souligne Jasper. Si c'est pas lui qui les a écrits, est-ce qu'il les a tous lus au moins ?

La classe écoute ce que leur révèle la vieille dame, puis Alison se propose de répéter en français.

– Sir Walter n'aimait pas être dérangé quand il écrivait. Aussi, quand des visiteurs imprévus se présentaient au manoir pour le rencontrer, il se sauvait par une porte secrète, là-haut, sur la galerie.

Elle recueille une mimique d'admiration de la part du guide. Les têtes se lèvent mais les enfants n'aperçoivent que des rangées de livres sur la galerie qui fait le tour de la pièce.

– Il est où exactement, le passage secret ? interroge Hugo.

– À présent, nous allons redescendre dans le parc, ordonne Alex Moury qui craint que l'intérêt se porte désormais sur le passage secret. Vous pourrez vous y promener un moment ou vous rendre dans la boutique si vous désirez acheter un souvenir.

Tous se dirigent vers l'escalier en colimaçon. Tous ? Non, car Romain constate soudain l'absence d'Hugo.

– Hugo ? jette Amytis en regardant autour d'elle. Il a dû s'attarder dans le bureau.

Les deux amis retournent dans le cabinet de travail.

– Hugo ! appelle Romain.

– Je suis là, sur la galerie. Je cherche le passage secret.

– Reviens ! lui conseille Amytis. Si tu casses quelque chose, tu auras de sérieux ennuis.

Les deux enfants ressortent du cabinet de travail lorsqu'ils entendent Hugo pousser un « Ooohhh ! ».

– Qu'est-ce qui se passe ? s'inquiète la fillette. Hugo ?

Pas de réponse. Romain et Amytis retournent dans la pièce. Ils jettent un coup d'œil sur la galerie, mais...

– Hugo ? crie Amytis. Hugo a disparu !

Chapitre 7

Sir Walter d'outre-tombe

Les enfants se regardent, sidérés. Ils grimpent l'escalier qui mène à la galerie et s'arrêtent à l'endroit où se tenait Hugo.

– Il... il est passé à travers le mur, bredouille Romain dont le cœur se met à battre très fort.

– Il a dû trouver le mécanisme qui ouvre la porte secrète, comprend Amytis. S'il ne revient pas, c'est qu'elle ne bouge que dans un sens.

– Alors Hugo est prisonnier ? s'affole son ami. Il faut prévenir le maître.

– Attends, le retient la fillette. Si Hugo a réussi à faire glisser ou pivoter un pan de mur, nous devons y arriver aussi.

Ils passent les mains sur le montant des étagères, cherchant une aspérité, un minuscule bouton qu'il suffirait d'enclencher.

– Je ne sens rien, se désespère Romain.

– Il était exactement là ! se souvient Amytis. Alors qu'est-ce qu'il a pu toucher ?

– Il n'y a que des livres. Il n'a quand même pas traversé le plancher ?

– Les livres, répète Amytis. Bien sûr !

Elle pose la main sur le premier volume devant elle et tente de le sortir de son rayonnage, mais il résiste. Alors elle pousse. Un déclic se fait entendre puis le panneau entier pivote d'un quart de tour.

- Tu es formidable ! s'écrie Romain en s'engouffrant dans le sombre passage.

Mais à peine l'a-t-il franchi qu'il pousse un « Ooohhh ! » et disparaît.

- Romain ! panique Amytis.

Elle se rue derrière lui, sent trop tard le sol lui manquer, et bascule en avant comme le pan de la bibliothèque se referme.

- Des marches... On est tombés dans les marches d'un escalier tournant, gémit Romain.

- C'est logique, souffle Amytis en se relevant et en frottant ses genoux. Le passage secret conduit à l'étage inférieur. Hugo est descendu.

De minuscules interstices dans le mur laissent filtrer une timide lumière grise, suffisante pour que les deux amis distinguent les marches devant eux.

- Hugo ! Hugo ! appelle Romain.

- Je suis là, entend-il, sans pour autant apercevoir son ami.

Amytis et lui le découvrent enfin après un coude. Il tâtonne en vain les pierres du mur pour trouver une sortie cachée.

– Le mur est solide, chevrote-t-il, la voix chargée d'angoisse. On est coincés dans ce trou.

– Si on continuait jusqu'au bout du tunnel, conseille Amytis qui vient de déceler un rai de lumière à l'extrémité du passage. La peur t'empêche de percevoir les petits détails.

Ils s'en approchent. Un trait de lumière jaune passe sous une porte massive.

– Elle doit dater au moins d'un siècle, observe Romain.

Son amie colle un œil entre les planches disjointes.

– Il y a une cuisine de l'autre côté.

Hugo se met à cogner du poing contre la porte.

– C'est inutile, l'arrête la fillette. Il n'y a personne.

– La vieille dame doit être occupée à vendre ses cartes postales dans la boutique, suppose Romain. Qui sait dans combien de temps elle reviendra, ni même si elle possède la clé ?

– Le car sera reparti, se désole Hugo.

– Monsieur Moury ne repartira pas sans nous, les rassure Amytis. Seulement, il ne pensera jamais à nous chercher ici.

Romain se met à étudier les alentours lorsqu'il discerne une lueur verte.

– Venez par là, les hèle-t-il. On dirait qu'il y a une galerie qui mène plus loin.

Les trois enfants s'aventurent dans un tunnel qui descend en pente douce et dégage une forte odeur de moisi.

– Des champignons phosphorescents recouvrent les parois, constate Amytis. Ce passage doit conduire à une cave.

– Et qui dit cave, dit sortie.

– À moins que la porte ne soit celle qui donne dans la cuisine, gémit Hugo qui commence à perdre espoir.

Ses amis préfèrent ne pas répondre. Ils progressent dans le souterrain quand soudain...

– Hé ! Il y a quelqu'un ! avertit Romain, pilant net.

Un homme est attablé de profil à sa table de travail, et il écrit.

– C'est... l'homme du portrait accroché dans le salon chinois, le reconnaît Amytis. C'est Walter Scott !

– Impossible ! Il est mort depuis presque deux siècles, rappelle Romain.

– Il est... presque transparent, balbutie Hugo.

– C'est son fantôme, bredouille la fillette en sentant les poils se hérisser sur ses avant-bras.

Les enfants sont tétanisés. Le fantôme continue à écrire, totalement indifférent à la présence des trois intrus.

– Il ne nous voit pas, murmure Amytis.

– Je ne savais pas que les tables et les fauteuils pouvaient aussi devenir fantômes, lâche Hugo.

– S'il ne voit pas les vivants, je pense qu'on peut passer devant lui et poursuivre notre chemin, suggère Romain.

Hugo regarde son ami comme s'il était devenu fou. Passer devant un fantôme ! La meilleure chose à faire, c'est de s'enfuir !

– Romain a raison, l'appuie Amytis. C'est la seule façon de sortir d'ici.

Ils inspirent un grand coup pour se gonfler de courage puis, l'un derrière l'autre, ils tentent de se faufiler entre la paroi et le bureau. Une coulée froide les envahit, comme lorsqu'on ouvre la porte d'un congélateur. Romain frissonne, mais il passe. Amytis retient un cri quand Walter Scott repousse tout à coup sa table pour se lever. Le coin du meuble entre dans le flanc de la fillette ; elle ne ressent rien. Hugo est pétrifié et blême de terreur. Il ne sait même plus comment hurler. Le fantôme vient sur lui, le traverse... Hébété, le garçon tâte son ventre pour vérifier que Sir Walter ne lui a pas emporté un morceau d'estomac, mais il est entier. Amytis l'attrape par la main et l'entraîne tandis que l'écrivain retourne à sa table de travail.

– C'est cool, un fantôme, articule Hugo, retrouvant l'usage de la parole et des couleurs. Ça ne nous voit pas, ça ne nous sent pas, ça ne...

Les derniers mots restent bloqués au fond de sa gorge.

Un chien vient de surgir de nulle part. Il est transparent et n'émet aucun son, mais il montre les crocs, l'air menaçant.

– Lui nous a repérés! s'effraie Romain.

– Il va nous mordre! jette Amytis.

Et c'est la débandade à travers le souterrain, le lévrier de Walter Scott à leurs trousses, la gueule bavante et lançant des aboiements silencieux. Des éclats de soleil percent l'extrémité du tunnel.

– La sortie! halète Romain.

Tous trois plongent tête baissée dans les arbustes qui ont poussé devant l'issue. Abasourdis, la respiration hachée, ils se retrouvent dans une rangée d'ifs, près du porche d'entrée.

– Je... j'y crois pas, bégaie Hugo. On a réellement vu des fantômes? J'ai l'impression d'avoir rêvé.

– Je ne pensais pas qu'ils existaient. Alors, tout ce qu'on raconte sur l'Écosse est vrai, s'étonne Romain. Les fantômes, le monstre du Loch Ness...

– À moins que nous ayons été victimes d'une hallucination due à ces étranges champignons phosphorescents, réfléchit Amytis. Regardez ! s'exclame-t-elle en montrant une sculpture. Cette statue représente le chien qui nous a poursuivis.

– C'est Maida, le lévrier de Walter Scott, déclare une voix provenant de sous le porche.

Cerise apparaît en courant.

– Vous sortez d'où ? demande-t-elle aux trois amis. Le maître vous cherche partout.

– Tu sais quoi, au sujet de ce chien ? l'interroge Amytis.

– Maida est enterrée sous sa propre statue. Une inscription en latin est gravée sur le socle. John nous l'a traduite : « Sous la forme sculptée qui fut la tienne en dernier lieu, dors profondément, Maida, à la porte de ton maître. »

– Hum, pas sûr qu'il dorme vraiment, relève Romain, se parlant à lui-même.

– Vous vous rendez compte que la statue de ce pauvre chien servait de marchepied pour monter à cheval, ajoute Alison qui arrive derrière Cerise.

– Je comprends un peu mieux pourquoi ce chien a failli nous arracher la peau des fesses, mâchonne Hugo. Il essayait de se venger.

Son ami lui pince le coude.

– Pas un mot de tout ça, lui glisse-t-il. Je te rappelle que la dame nous a interdit de toucher à quoi que ce soit.

– Je serai muet comme une...

Son regard accroche la tombe de Maida.

– Euh... comme un poisson rouge, se reprend-il.

– Tu as raison, sourit Amytis, c'est moins risqué.

L'instant d'après, tous les élèves se retrouvent dans le car.

– Thomas a bien photographié le chien sous toutes ses coutures ? s'amuse le maître. Oui ? Alors nous pouvons démarrer. Nous allons passer le restant de la journée à l'auberge de jeunesse, où vous aurez quartier libre. La journée de demain sera consacrée à la visite de la ville, puis nous poursuivrons notre voyage avec une étape au château de Glamis.

- Encore un château ! se plaint Jasper.

- Oui, mais celui-là est spécial car il est peuplé de fantômes, complète le guide.

Amytis, Hugo et Romain échangent un regard complice tandis que la classe se met à frissonner bruyamment.

- Pourvu qu'il n'y ait pas de chien fantôme, marmonne Hugo, sinon je ne sors pas du car.

* * *

Cette même journée, en France, le téléphone sonne chez Waldo.

- Je n'ai pas encore eu l'occasion de me saisir des diamants, ni même de savoir où ils sont cachés, dit l'homme au bout du fil. Mais…

- Mais quoi ? tonne Waldo. Vous vous doutez bien que la bande rivale est prévenue et qu'elle va très vite réagir en envoyant quelqu'un prendre livraison de la marchandise.

– Je l'éliminerai à ce moment-là, comme je l'ai fait pour le premier, assure son interlocuteur. Il faut me laisser le temps de dénicher la cachette des diamants. Si je me dévoile trop tôt, tout peut rater.

– Secouez la personne qui les transporte, faites-la parler d'une manière ou d'une autre ! s'emporte Waldo.

– Je ne sais toujours pas de qui il s'agit. Votre informateur a-t-il appris quelque chose à ce sujet ?

– Hélas, non. Mais vous êtes sur place, bon sang ! Fouillez ! Remuez-vous !

– C'est difficile avec tout ce monde autour de moi. Soyez patient et faites-moi confiance.

Waldo émet un grognement.

– Bon, soupire-t-il. Mais si vous échouez dans cette mission, je vous le ferai payer très cher.

Alain Surget

Né à Metz en 1948, Alain Surget a été professeur d'histoire. Il commence à écrire dès l'âge de 16 ans en composant des poésies, des nouvelles et des pièces de théâtre. Il est aujourd'hui l'auteur de nombreux romans et séries - *L'Œil d'Horus, Le Renard de Morlange, Tirya, Les Enfants du Nil, Les Agents secrets de l'Olympe...* - et participe régulièrement à des ateliers dans les médiathèques et les écoles. Alain est surtout un grand rêveur qui ne manque pas de porter le kilt quand il voyage en Écosse au pays des lacs à monstres !

Louis Alloing

Louis Alloing voit le jour en 1955 à Rabat, au Maroc, et passe sa jeunesse à Marseille. Passionné de dessin, il fait des études d'arts graphiques dans cette belle ville du Sud, puis à Paris. Après avoir travaillé dans la publicité, il se consacre à la littérature pour la jeunesse. Il est notamment l'illustrateur de la bande dessinée *Marion Duval*, et des séries *Plume le pirate* et *Princesse Olympe*. Pour cette nouvelle aventure dans les Highlands, le costume de pirate étant fortement déconseillé, Louis a reçu un magnifique kilt d'Alain Surget, histoire de voyager incognito et ne pas se faire trop remarquer...

Table des matières

Chapitre 1
Le voyage de fin d'année   p. 7

Chapitre 2
Le grand départ   p. 17

Chapitre 3
Premières surprises   p. 31

Chapitre 4
La ville de Robin des Bois   p. 39

Chapitre 5
Cap sur Édimbourg   p. 53

Chapitre 6
Chez le père d'Ivanhoé   p. 61

Chapitre 7
Sir Walter d'outre-tombe   p. 75

Retrouve Hugo, Amytis et Romain dans le tome 2

MYSTÈRES
DANS LES HIGHLANDS

Les secrets du château de Glamis

Qu'est-ce qui attend nos amis au château de Glamis, au milieu des fantômes ? Le voyage se teinte de mystères au fur et à mesure que la classe s'enfonce dans les Hautes Terres, à la découverte des traditions écossaises.

Enfin, quel rapport existe-t-il entre ce voyage d'écoliers et le vol des diamants en France ?

LA REINE D'ANGLETERRE
COMME VOUS NE L'AVEZ JAMAIS VUE !

Flora est la fille la plus chanceuse du monde.
Elle a été invitée à prendre le thé AVEC LA REINE !
Mais oubliez tout ce que vous pouvez imaginer : cette aventure
nous emmène loin des majordomes et des plateaux d'argent...
Vous découvrirez l'envers du décor de Buckingham Palace
dans ce livre drôle et émouvant écrit par Giles Andreae
et illustré par Tony Ross.